Les fantômes ne mangent pas de chips

Les fantômes ne mangent pas de chips

Texte de
Debbie Dadey et Marcia Thornton Jones

Illustrations de John Steven Gurney
Texte français de Lucie Duchesne

Scholastic Canada Ltd.,
123, Newkirk Road, Richmond Hill (Ontario) Canada

Données de catalogage avant publication (Canada)

Dadey, Debbie
Les fantômes ne mangent pas de chips

Traduction de : Ghost's don't eat potato chips.
ISBN 0-590-74836-X

I. Jones, Marcia Thornton. II. Titre.
PZ23.D2127Fa 1993 j813'.54 C93-093933-6

Édition publiée par Scholastic Canada Ltd., 123, Newkirk Road,
Richmond Hill (Ontario) Canada L4C 3G5.

4 3 2 1 Imprimé aux États-Unis 3 4 5/9

À trois frères formidables :
Randall J. Thornton
Frank L. Gibson
David W. Gibson

Table des matières

1

Grand-tante Marie-Ange

— Ah non, grand-maman! gémit Paulo. Pourquoi moi? Grand-tante Marie-Ange ne m'aime même pas.

— Marie-Ange est ma sœur, et il ne faut pas négliger la famille, répond la grand-mère de Paulo en soupirant.

— Cette vieille chipie ne s'est jamais occupée de nous, murmure Paulo.

La grand-mère de Paulo lui donne une petite tape sur la tête.

— Ça n'a rien à voir! Elle est toute seule depuis la mort d'oncle Jules. Et pour l'instant, elle est malade et elle a besoin de notre aide. Tout ce que tu as à faire, c'est de lui apporter ses repas. Laurent et toi, vous pouvez le faire en allant au terrain de jeux.

Paulo met une casquette de baseball et prend la casserole, sur le comptoir de

la cuisine. Sans dire un mot, il sort en faisant claquer la porte avec fracas derrière lui.

Laurent, son meilleur ami, l'attend au coin de la rue.

— Qu'est-ce que tu as dans les mains? demande-t-il.

— C'est un repas malade pour ma grand-tante Marie-Ange, répond Paulo.

— Tu ne voudrais pas plutôt dire un repas pour ta grand-tante malade?

— Si tu savais combien ma grand-mère est nulle, en cuisine! dit Paulo en ricanant.

Laurent éclate de rire et sort un sac de chips de sa poche.

— Veux-tu des chips à l'ail?

— Non! Ça goûte encore plus mauvais que les plats de ma grand-mère! s'écrie Paulo. Tu devrais acheter la sorte que j'aime.

Les deux garçons continuent à marcher, Laurent grignotant ses chips. Quelques minutes plus tard, ils sont devant la maison de tante Marie-Ange.

Les branches d'un énorme saule pleureur tombent jusqu'au sol, à côté de la clôture. La porte de métal rouillée grince quand les garçons l'ouvrent. Paulo et Laurent examinent la grande maison, sans dire un mot. Tels des yeux mauvais, les fenêtres sombres semblent les fixer pendant qu'ils gravissent l'escalier vermoulu.

— On dirait un décor de film d'horreur, chuchote Laurent.

— Oui, on aurait pu y tourner le *Bal des vampires*, approuve Paulo.

Laurent mâchouille nerveusement ses chips.

— Dépêche-toi, c'est un endroit sinistre!

Paulo soulève le heurtoir rouillé et le laisse retomber. À l'étage, une fenêtre s'ouvre en grinçant et une vieille dame aux cheveux gris se montre.

— Qui est là?

— C'est nous, crie Paulo. Grand-maman t'envoie ton repas.

Tante Marie-Ange fronce le nez comme si on lui faisait avaler du vinaigre.

— Alors, cours me l'apporter! Et referme la porte derrière toi!

Et elle fait claquer la fenêtre à toute volée.

Paulo ouvre la porte. Une odeur de moisi les enveloppe immédiatement.

— Ouache! Ça sent la pourriture, ici. Ta tante Marie-Ange n'a jamais entendu parler de ces trucs pour rafraîchir l'air? demande Laurent.

— Les vieilles personnes, ça ne les

CHIPS
À
L'AIL

dérange pas quand quelque chose sent mauvais, répond Paulo.

— Cesse de chuchoter et apporte-moi mon repas, lance tante Marie-Ange du fond de sa chambre. Si ça continue, je vais mourir de faim.

— Tant qu'à moi, elle peut bien mourir de soif aussi! marmonne Paulo.

Les deux garçons font le tour d'une pile de vieux journaux jaunis et commencent à monter l'escalier qui craque. Paulo trébuche sur une chaise cassée, au haut de l'escalier. La chambre de tante Marie-Ange est tout au fond du corridor du premier étage.

Tante Marie-Ange est assise dans son lit, une boîte de mouchoirs de papier à côté d'elle; le plancher est jonché de vieux mouchoirs de papier. De longues mèches grises tombent le long de son visage, comme les pattes d'une araignée, et sa peau ridée a la couleur d'une vieille poire. On n'aurait pas dit qu'elle a la grippe, mais bien qu'elle revenait de la guerre. Elle pointe un doigt osseux dans la direction de Paulo.

— Je te reconnais. Tu es le petit vilain!

— Ça doit se transmettre dans la famille, dit Paulo en haussant les épaules.

— Hummmm, grogne tante Marie-Ange. Qui est-ce, celui-là? Je ne l'ai jamais vu.

Laurent, qui mangeait une croustille, faillit s'étouffer.

— Je suis Laurent, l'ami de Paulo. Voudriez-vous des chips? dit-il en tendant le sac à la vieille dame.

— Exactement les mêmes chips à l'ail que mon pauvre Jules mangeait tout le temps. C'est probablement ce qui l'a tué.

— Qui est le pauvre Jules? chuchote Laurent en remettant le sac de chips dans sa poche.

— C'est mon grand-oncle qui est mort, répond Paulo.

Puis, avant que tante Marie-Ange ne place un mot de plus, Paulo lui tend le plat.

— Grand-maman m'a dit de te demander si tu as besoin de quelque chose.

— Eh bien, répond tante Marie-Ange, tu peux arroser la pelouse.

En redescendant l'escalier, Paulo et Laurent entendent la tante se moucher.

— Tu ne m'avais pas dit que ta tante était folle à lier! dit Laurent.

— Ce n'est rien. Oncle Jules était deux fois plus fou! répond Paulo en ouvrant la porte de derrière. Heureusement qu'il n'est plus là!

2

La soupe aux mauvaises herbes

— Elle appelle ça un jardin? dit Paulo en secouant la tête. Ce n'est qu'un fouillis de mauvaises herbes.

— Je te parie que ta tante Marie-Ange s'en sert pour faire de la soupe aux mauvaises herbes, lance Laurent en riant.

Il aide Paulo à tirer le tuyau d'arrosage entre les arbres noueux.

— Et de la salade de pissenlits aussi! ajoute Paulo en tournant le robinet. Mais qu'est-ce qui se passe? Il n'y a pas d'eau.

— Laisse-moi faire, dit Laurent en déposant son sac de chips sur une vieille table de pique-nique.

— Si je n'y arrive pas, tu ne pourras sûrement pas toi non plus.

Paulo n'a pas le temps d'essayer de

nouveau, parce que la voix grinçante de tante Marie-Ange l'interrompt.

— Penses-tu que je vais manger ça avec mes doigts? crie-t-elle de la fenêtre. Apporte-moi une fourchette et un verre d'eau.

Paulo passe le tuyau à Laurent.

— Alors c'est toi qui vas arroser la pelouse pendant que je vais arroser ma tante.

Laurent jette un coup d'œil sur la maison. Plusieurs carreaux sont brisés et quelques fenêtres sont barricadées à l'aide de planches clouées. Celle du grenier est si haut que Laurent doit renverser la tête pour pouvoir la voir.

Mais ce qu'il aperçoit le glace. Quelqu'un regarde le jardin par la fenêtre du grenier. Laurent se frotte les yeux et regarde de nouveau. Personne.

— C'est étrange, marmonne Laurent.

— C'est toi qui es étrange, dit Paulo en arrivant dans le jardin. Tu as les yeux grands comme des soucoupes.

— Es-tu déjà allé au grenier? demande Laurent en ignorant la remarque de Paulo.

— Je ne sais même pas comment on s'y rend.

— Est-ce qu'il y a quelqu'un d'autre qui vit ici? demande Laurent.

— Juste ma vieille tante, répond Paulo en essayant d'ouvrir le robinet. Pourquoi?

— On devrait peut-être appeler la police, parce que je viens de voir quelqu'un dans le grenier, explique Laurent en pointant du doigt la petite fenêtre tout en haut de la maison.

Paulo fixe la fenêtre quelques minutes et éclate de rire :

— Tu dis n'importe quoi! C'était juste l'ombre de ces gros arbres.

Laurent regarde encore une fois la fenêtre. Mais il ne voit rien parce que Paulo a finalement réussi à ouvrir le robinet et l'arrose en plein visage.

— Ferme ça! crie-t-il.

— Je pensais que ça t'avait donné chaud! dit Paulo en riant.

Laurent lui tourne le dos en disant :

— Si tu n'arrêtes pas, j'irai au terrain de jeux sans toi.

— D'accord, j'arrête!

Pendant que Paulo arrose les plantes, Laurent va chercher ses chips. Mais il ne trouve qu'un sac vide.

— Je ne t'avais pas permis de manger toutes mes chips!

— Moi? Mais je t'ai dit que je déteste les chips à l'ail! réplique Paulo.

Laurent regarde sous la table de pique-nique et avale avec peine :

— Paulo, viens ici.

— Quoi? Qu'est-ce qu'il y a? demande Paulo en déposant le tuyau d'arrosage.

— Regarde, fait Laurent. Regarde sous la table.

Paulo hausse les épaules, mais il jette quand même un coup d'œil sous la table.

— Tes chips sont tombées par terre, c'est tout.

— Mais regarde, Paulo, ajoute Laurent en se cognant la tête sur la table. Regarde bien, c'est important.

— D'accord, d'accord. Observe-moi bien : je vais regarder et... Hé! on dirait un mot! G...R..E..N..I..E..R... Ça donne quoi?

— GRENIER! hurle Laurent. Quelqu'un a écrit le mot grenier!

— C'est juste une coïncidence, dit Paulo en haussant les épaules. C'est un hasard, ou bien tante Marie-Ange a dressé les fourmis de son jardin!

Sur ces mots, Paulo marche sur les chips et les écrase. Laurent jette un dernier regard à la fenêtre du grenier. Toujours rien. Ce n'était peut-être qu'une ombre. Mais si ça avait été autre chose?

3

Mademoiselle Je-sais-tout

Paulo retrouve Laurent sous le chêne du terrain de jeux. Cet arbre géant est un point de rendez-vous idéal où, le samedi matin, les élèves de l'école de Ville-Cartier se retrouvent. Deux amies des garçons, Lisa et Mélodie, les y attendent.

Lisa éclate de rire.

— Qu'est-ce qui t'est arrivé?

— On dirait que tu t'es fait arroser par le monstre du Loch Ness! dit Mélodie.

Laurent tord son t-shirt, et l'eau dégouline jusque dans ses chaussures.

— J'ai été attaqué par un tuyau d'arrosage sauvage, lance-t-il aux filles.

— J'essayais simplement de le rafraîchir un peu, explique Paulo. Après tout, il avait tellement chaud qu'il avait des visions.

— Qu'est-ce que tu racontes? demande Mélodie.

En secouant ses cheveux mouillés, Laurent asperge ses amis.

— J'ai vu quelqu'un à la fenêtre de la maison de sa tante folle.

— Et moi, ajoute Paulo en riant, j'ai vu des chips savantes qui pourraient gagner un concours de dictée!

— Les chips, c'est peut-être une coïncidence, réplique Laurent en rougissant, mais il y avait vraiment quelqu'un au grenier.

— Ce devait être la tante de Paulo, propose Mélodie.

— Non, elle est malade et elle passe ses journées au lit, répond Paulo. Et elle vit seule.

Lisa pose sa main sur l'épaule de Paulo.

— Je ne savais pas que ta chère tante était malade.

— Cette vieille chauve-souris n'est pas ma chère tante, dit Paulo.

— Paulo! s'écrie Lisa. On ne doit pas parler comme ça des gens qui sont malades.

— Vous n'y êtes pas du tout, l'interrompt Laurent. Et s'il y avait vraiment quelqu'un de caché dans le grenier?

— Il n'y a rien dans le grenier, sauf ton imagination de fou! dit Paulo en riant. Je te l'ai dit, ce n'était que l'ombre de l'arbre.

— Ça ne pouvait pas être une ombre, leur dit Mélodie.

— Et pourquoi, mademoiselle Je-sais-tout? demande Paulo. Tu n'étais même pas là.

— Parce qu'il y a eu des nuages toute la journée, lance sèchement Mélodie. Il ne peut pas y avoir d'ombre sans soleil!

— Elle a raison! dit Laurent en pointant un doigt accusateur vers Paulo.

— Tu devrais peut-être appeler la police, propose Lisa.

— La police ne pourchasse pas les ombres, répond Paulo en éclatant de rire.

— Mais il y a peut-être un fou qui attend la chance de dévaliser ta tante, ajoute Laurent.

Paulo secoue la tête.

— Personne ne voudrait dévaliser ma tante. Elle est si pauvre qu'elle ne peut même pas faire réparer sa maison.

— Peut-être, mais comment te sentirais-tu si quelque chose d'horrible arrivait à ta tante et que tu ne l'avais pas aidée? demande Lisa.

Laurent l'approuve d'un signe de tête.

— Au moins, avertis-la!

— Mais on arrive de chez elle, lance Paulo. On lui dira une autre fois.

— Arrête de ne penser qu'à toi! lui dit Lisa. Tu devrais l'avertir maintenant, avant que quelque chose de grave ne se produise.

— Mais quelque chose de grave vient de se produire, répond Paulo. J'ai écouté mes amis qui divaguent. Si vous êtes si gentils que ça et si vous vous inquiétez tellement de tante Marie-Ange, venez avez moi. Rendez-vous devant chez elle à sept heures, quand je lui apporterai son souper. Et soyez à l'heure!

Les trois amis observent Paulo, qui les quitte pour rejoindre des garçons qui jouent à la balle molle.

— Es-tu sûr qu'il y avait quelqu'un à la fenêtre? demande Mélodie à Laurent.

— Je sais ce que j'ai vu, répond lentement Laurent. Et ce n'était pas une ombre.

4

La légende

À sept heures, Paulo, Laurent, Lisa et Mélodie regardent la fenêtre du grenier. Lisa a les yeux tout écarquillés. Tu ne m'avais pas dit que ta tante habitait une maison hantée.

— Mais tu es pire que Laurent! s'exclame Paulo. Tu vas bientôt avoir des visions, toi aussi.

— Tu ne connais pas la légende? fait Lisa. Il y a trois ans, des choses bizarres ont commencé à se produire à toute heure de la nuit. Des lumières et des bruits étranges qui venaient du grenier.

— Quel genre de bruits? demande Mélodie.

— Le bruit des pas d'un fantôme, répond Lisa d'un ton sérieux, et des sifflements.

— Je trouve ça idiot! l'interrompt Paulo.

— Tu as tort, réplique Lisa. Mon père m'a dit que les fantômes ne peuvent pas reposer en paix si, pendant leur vie, ils ont fait quelque chose qui a fait souffrir leurs proches. Ils sont condamnés à errer jusqu'à ce que quelqu'un répare leur faute pour eux.

Paulo secoue la tête et ouvre la porte de la clôture rouillée.

— Ça veut dire que tu ne reposeras jamais en paix, parce que tu me fais toujours souffrir.

— Peut-être que c'est ça que Laurent a vu, dit fermement Lisa.

— Quoi? demande Mélodie.

— Un fantôme, chuchote Lisa.

— Et peut-être que votre cerveau est en train de se transformer en sauce blanche! marmonne Paulo tout en se dirigeant vers la porte d'entrée. Ma tante est peut-être folle, lance-t-il à ses amis, mais elle n'est pas un fantôme.

— Tu es sûr? demande Mélodie.

— Parce qu'il faut être mort pour

devenir un fantôme, et parce que ma grand-tante Marie-Ange est bien trop chipie pour mourir, lance Paulo en ouvrant la porte d'entrée.

Comme la dernière fois, la fenêtre de l'étage s'ouvre et tante Marie-Ange se penche au-dehors.

— Arrêtez de faire du bruit! Comment voulez-vous qu'une femme malade se repose avec tout ce boucan!

Paulo lui montre le plat préparé par sa grand-mère.

— Alors je dois jeter ça à la poubelle?

— Quoi? Pour que je meure de faim? crie tante Marie-Ange. Apporte-moi ça tout de suite! Immédiatement!

— Je t'avais dit qu'elle était folle, chuchote Laurent à Lisa, quand ils entrent dans la maison.

— Elle n'est pas folle, dit Lisa. Elle est juste un peu grognon parce qu'elle est malade.

— Alors, ça veut dire qu'elle est malade depuis 1942, ajoute Paulo en conduisant ses amis à la chambre de sa tante.

Tante Marie-Ange est toujours au lit. On aurait dit qu'un troupeau d'éléphants avait couru sur ses couvertures, et la pile de papiers mouchoirs a augmenté de 30 cm. La vieille dame saisit le plat et la fourchette.

— Combien d'enfants faut-il pour apporter son repas à une vieille dame?

— Je m'appelle Lisa, et voici Mélodie, dit Lisa en souriant. Enchantée.

— Hummmm, dit tante Marie-Ange en enfonçant la fourchette dans le plat.

— Nous sommes venues vous dire quelque chose, ajoute Mélodie.

Mais elle n'a pas la chance de continuer, parce que tante Marie-Ange, qui avait pris une grosse bouchée, vient de la recracher sur son lit.

— Je ne mangerai jamais ça! C'est aussi froid qu'un glaçon en plein hiver. Faites réchauffer ça au four.

— Ça nous fera vraiment plaisir, sussurre Lisa en prenant le plat froid.

Ses trois amis la suivent hors de la chambre. Tante Marie-Ange les appelle :

— Revenez en haut pendant que ça réchauffe, pour que je puisse vous avoir à l'œil.

Les enfants se précipitent à la cuisine.

— J'ai autre chose à faire que de jouer à la bonne ou à l'infirmière pour cette vieille chipie, se plaint Paulo.

— Allons, Paulo, tu ne devrais pas dire des choses pareilles de ta tante. Ça ne prendra pas de temps à réchauffer, et on pourra lui parler du grenier, dit Lisa.

— Comment il fonctionne, ce four? demande Mélodie.

— Est-ce que je ressemble à un chef cuisinier? réplique Paulo. Je n'ai jamais allumé de cuisinière de ma vie!

— Moi non plus, admet Laurent.

Paulo tourne le bouton.

— Ma grand-mère fait toujours ça, alors ça ne doit pas être si difficile.

Lisa met le plat dans la cuisinière, et ils remontent en haut tous les quatre. C'est une fois arrivés en haut qu'ils entendent le bruit.

POM.

— Écoutez, chuchote Laurent.

Les quatre enfants s'arrêtent au milieu du corridor poussiéreux.

— On dirait que quelque chose est tombé par terre, dans le grenier.

POM. POM. POM.

— On dirait plutôt des pas, murmure Mélodie. Il y a quelqu'un là-haut.

— Ou c'est le fantôme, prononce Lisa avec peine, en reculant dans le corridor.

Mélodie la prend par le bras.

— On doit avertir tante Marie-Ange.

— Calmez-vous! s'écrie Paulo. Ce sont probablement juste des rats.

À ce moment, on entend un sifflement aigu.

— Je ne savais pas que les rats sifflaient, fait remarquer Laurent d'une voix rauque.

5

Un repas calciné

— Avez-vous entendu? demande Lisa à la tante, quand ils entrent dans la chambre.

Tante Marie-Ange brasse consciencieusement un jeu de cartes.

— Entendu quoi? demande-t-elle.

— On dirait qu'il y a quelqu'un au grenier, lui explique Mélodie. Nous avons entendu des pas et des sifflements.

— Les vieilles maisons, ça craque toujours de partout, répond la tante en haussant les épaules.

— Mais, cet après-midi, j'ai aperçu un visage à la fenêtre du grenier, ajoute Laurent. On devrait peut-être aller jeter un coup d'œil, pour être sûr.

— Hummmm. Personne n'ira dans ce grenier, dit fermement tante Marie-Ange. Mon pauvre Jules était la seule personne à y aller. Il est mort depuis trois ans, et le vieux plancher doit être encore plus dangereux qu'avant.

— Vous êtes sûre que ces craquements viennent seulement d'un vieux plancher?

— Bien sûr, lance sèchement tante Marie-Ange. Bon, assez parlé. Je veux jouer aux cartes.

Les quatre enfants se regardent, interdits. Si tante Marie-Ange n'est pas inquiète, peut-être qu'ils n'ont pas raison de l'être. Lisa applaudit :

— Oh oui! j'adore jouer à la bataille!

— À la bataille? hurle la tante. Je pensais plutôt à une partie de poker.

— Ça, ça a du bon sens, dit Paulo en souriant.

Les enfants fixent la tante qui distribue les cartes à la vitesse d'une mitraillette. Peu de temps après, tous les cinq jouent au poker.

— Où est-ce qu'une vieille dame comme vous a bien pu apprendre à jouer si bien au poker? demande Mélodie après une nouvelle victoire de la tante.

— C'est l'un des avantages de vieillir! répond-elle en riant. J'en sais beaucoup plus que des petits blancs-becs comme vous.

Lisa éclate de rire elle aussi. Et même Paulo rit en prenant les cartes pour commencer une nouvelle partie.

Laurent fronce le nez.

— Vous ne trouvez pas que ça sent drôle?

— Le souper! fait Mélodie.

— Vous allez mettre le feu à ma maison! crie tante Marie-Ange aux enfants qui sortent en trombe de la chambre.

Il y a tant de fumée dans la cuisine qu'aucun ne remarque l'ombre noire près du réfrigérateur.

— Éteignez le four! ordonne Paulo en saisissant un torchon.

Mélodie se précipite sur le bouton du four et reste figée sur place.

— Il est éteint!

— Mais oui, ça a brûlé tout seul, ironise Paulo en ouvrant la porte du four.

Un épais nuage de fumée s'échappe et fait éternuer Lisa. Paulo laisse tomber le plat carbonisé dans l'évier de la cuisine.

— Oh non! fait Mélodie en toussant, quand elle aperçoit le désastre.

— Jamais tante Marie-Ange ne mangera ça! dit Laurent, en se pinçant le nez.

Lisa prend un vieux linge à vaisselle et l'agite pour dissiper la fumée.

— On ne peut toujours pas la laisser mourir de faim.

La tante crie, du haut de l'escalier :

— Qu'est-ce que vous avez essayé de faire? Me faire griller comme un poulet?

— On devrait peut-être la laisser mourir de faim, lance Paulo à Lisa.

— Moi, j'aime bien ta tante. Après tout, elle nous a appris à jouer au poker, dit Mélodie.

— Il faut aller lui dire ce qui s'est produit, intervient Laurent.

— Me dire quoi? crie tante Marie-Ange en entrant en trombe dans la cuisine.

Lisa prend tante Marie-Ange par le bras.

— Vous devriez être au lit!

— Pour vous laisser mettre le feu à ma maison et me faire griller avec? répond la tante en toussant. Je suppose que mon repas est raté.

— Eh b... bien, bégaie Paulo, c'est un peu cuit.

— Je dirais plutôt que c'est calciné, siffle tante Marie-Ange en tirant de la poche de sa robe de chambre un vieux porte-monnaie noir. Paulo, tu vas nettoyer le dégât. Et ouvre les fenêtres pour faire sortir la fumée! Les autres, allez me chercher de quoi manger. J'imagine que je devrai payer. Vous pensez sûrement que je roule sur l'or.

Tante Marie-Ange fouille dans le porte-monnaie, avec ses longs doigts osseux. Lentement, elle en tire quelques billets tout fripés.

— Je ferais mieux de vous donner de l'argent pour que vous vous achetiez quelque chose, sinon vous mangerez mon repas avant même d'être de retour.

— On ne ferait jamais ça, insiste Lisa.

— Hummm, grommelle tante Marie-Ange, je l'espère bien. Allez, courez au petit restaurant du coin!

— Vous voulez dire le Petit Resto?

— Oui, acquiesce la tante, c'est ça. Jules adorait leur sandwich aux oignons et leurs chips à l'ail. Rapportez-moi cela, et achetez-vous quelque chose.

— Nous serons heureux de vous apporter votre repas, dit Lisa, mais vous devriez vous recoucher avant de commencer à tousser encore!

— Hummm! fait tante Marie-Ange en quittant la pièce. N'attendez pas à demain pour m'apporter mon repas.

Paulo accompagne ses amis à la porte.

— Voudrais-tu nettoyer la cuisine pour moi, demande-t-il à Mélodie?

— C'est *ta* tante, répond Mélodie en ouvrant la porte. Tu fais le ménage. Mais on va te rapporter un super yogourt glacé aux ananas.

— Rapportez-en trois, ordonne Paulo.

— Tu es trop gourmand, lui dit Lisa.

— Allez, dépêchez-vous, sinon elle nous fera faire des courses toute la soirée, dit Paulo.

— Elle n'est pas si méchante, fait Lisa.

— Ma tante est aussi vilaine que ces affreux sandwichs à l'oignon, répond Paulo. Tante Marie-Ange et oncle Jules sont les deux seules personnes que j'ai jamais connues qui sont capables de manger ça.

Mélodie éclate de rire.

— Mais rien n'arrive à la cheville de ce super yogourt glacé aux ananas!

— Et j'adore les chips à l'ail, crie Laurent en commençant à courir. Le dernier rendu est une poule mouillée!

Paulo regarde ses amis courir vers le restaurant. Il ferme la porte et revient à la cuisine. Quand il y arrive, le plat est déjà nettoyé et les fenêtres, grandes ouvertes.

6

Des choses bizarres se passent

Les trois amis arrivent devant la maison de tante Marie-Ange, et Laurent ouvre un nouveau sac de chips à l'ail.

— Ouache! Ces sandwichs à l'oignon sentent mauvais!

Mélodie tient le sac à bout de bras.

— Oui, et ils sentent de loin!

Lisa se pince le nez et court jusqu'à la maison.

— Éloigne-ça de moi!

Mais Mélodie ne peut résister à agacer Lisa. Elle court après elle autour de la maison. Laurent est toujours devant l'entrée, grignotant ses chips, quand il entend Mélodie crier. Lorsqu'il arrive dans la cour, Mélodie est étendue par terre.

— Qu'est-ce qui s'est passé? demande-t-il.

— J'ai trébuché sur une racine, explique-t-elle en levant la tête.

Laurent la prend par un bras pour l'aider à se relever.

— Ça va?

— Oui, oui, répond Mélodie en s'asseyant. Mais je crois que les sandwichs ont été tranformés en galettes. Ils sont aplatis comme si un camion avait roulé dessus.

— On pourrait les aérer un peu, propose Lisa.

— Ce sont des sandwichs, pas des oreillers, réplique Mélodie.

Laurent ramasse le sac écrasé et se dirige vers la maison, et personne ne remarque l'ombre noire.

— Je suis capable d'arranger ça, dit-il en déposant son sac de croustilles sur la table de la cuisine.

Il dispose les sandwichs sur une assiette fêlée et les tapote tant bien que mal avec ses mains.

— Peut-être qu'elle ne remarquera rien, suggère Lisa.

— Moi, je trouve qu'ils ont l'air plus appétissants que d'habitude, fait Laurent avec un sourire.

— Vous en prenez, du temps! lance Paulo en descendant l'escalier. Tante Marie-Ange est morte de faim, et je suis fatigué de me faire battre au poker. Au fait, vous m'avez bien eu, mais je n'arrive pas à comprendre comment vous vous y êtes pris!

— De quoi parles-tu? demande Laurent.

— De la façon dont vous avez remis la cuisine en état, explique Paulo.

Ses trois amis se regardent.

— On n'a touché à rien, dit lentement Mélodie.

— Eh bien, si je n'ai rien nettoyé et si vous n'avez rien nettoyé, qui a fait le ménage? demande Paulo en se tournant et en prenant l'assiette. Hé! Qui a pris une bouchée de sandwich?

Les trois autres fixent le sandwich entamé.

— Pas moi! disent-ils en chœur.

— Regardez! Quelqu'un a aussi mangé les chips à l'ail, ajoute Mélodie.

— Et il y en a plein sur le plancher, indique Lisa. Qu'est-ce qu'on va dire à tante Marie-Ange?

— Pas de problème, répond Paulo. Nous allons simplement les mettre dans l'assiette, et tante Marie-Ange n'y verra que du feu.

Les quatre amis ramassent les chips éparpillées sur le sol.

— Il y en a d'autres dans le corridor, dit Mélodie.

— On dirait une piste de chips à l'ail, ajoute lentement Laurent.

La piste les mène à une porte ouverte, au bout de l'escalier. Un courant d'air frais fait frissonner Lisa.

— Ce doit être le grenier. On dirait que quelqu'un veut nous y attirer.

— Avec des chips? s'exclame Paulo en riant.

— Comment la porte s'est-elle ouverte? chuchote Mélodie. Je suis sûre qu'elle n'était pas ouverte, avant.

Paulo n'a pas le temps de répondre.

— Je vais appeler la police si vous ne m'apportez pas à manger, hurle tante Marie-Ange. Je suis en train de mourir de faim, moi!

— Pour une mourante, elle a encore pas mal d'énergie, marmonne Paulo.

Il ferme la porte du grenier et entre dans la chambre de tante Marie-Ange, ses trois amis sur ses talons.

La tante saisit l'assiette et commence à engouffrer un affreux sandwich aux oignons.

— C'est littéralement dégoûtant, chuchote Mélodie.

— Au moins, elle n'a pas remarqué qu'ils étaient tout écrasés, chuchote à son tour Lisa.

Mais Laurent, lui, a remarqué quelque chose — une photographie sur la table de chevet de tante Marie-Ange.

— Regardez cette photo, dit-il doucement à Paulo. C'est l'homme que j'ai vu à la fenêtre du grenier.

Paulo examine la photographie.

— Tu dis n'importe quoi! C'est oncle Jules, et il est mort.

7

Le fantôme du grenier

— Je vous jure, poursuit Laurent. L'homme de la fenêtre lui ressemblait comme deux gouttes d'eau. Il portait le même chapeau.

Les quatre amis sont sous le gros chêne. D'épais nuages lourds laissent présager de la pluie.

— Quelle coïncidence étrange! dit Mélodie.

— Ce qui est réellement étrange, c'est que l'oncle Jules aimait les sandwichs aux oignons, fait remarquer Lisa, et que quelqu'un a commencé à manger ceux qu'on avait achetés.

— Et quelqu'un a grignoté mes chips à l'ail, ajoute Laurent.

Paulo éclate de rire

— Et ma tante pensait qu'il n'y avait qu'oncle Jules qui aimait les chips à l'ail et les sandwichs aux oignons!

— Si je ne savais pas que c'est impossible, dit Lisa, je dirais que l'oncle Jules est un fantôme et hante le grenier.

Ses trois amis la fixent une seconde avant de se mettre à rire comme des fous.

— Et, en réalité, tante Marie-Ange est la reine d'Angleterre! lance Paulo d'un ton ironique.

Lisa se met en colère.

— Il n'y a pas de quoi rire!

— Vous devez admettre, dit lentement Mélodie, que c'est un peu apeurant.

— Après tout, approuve Laurent, quelqu'un a écrit le mot «grenier» avec mes chips à l'ail.

— Franchement, dit Paulo, on n'a pas besoin d'un diplôme universitaire pour écrire le mot «grenier».

— Alors explique-moi d'où venait cette piste de chips à l'ail menant au grenier et les pas que nous avons entendus? demande Mélodie.

Paulo rit tellement qu'il en tombe par terre.

— Vraiment, votre cerveau ramollit, les copains. Vous avez lu trop d'histoires de fantômes.

— Les fantômes sont blancs et passent à travers les murs, ajoute Laurent.

— Oui, dit Paulo en riant toujours. Et ils ne mangent sûrement pas de chips à l'ail.

Mélodie se place devant lui, les mains sur les hanches.

— Si tu es si convaincu, va au grenier et prouve-nous qu'il n'y a pas de fantôme.

— Mais tante Marie-Ange a dit que ça pouvait être dangereux, prévient Lisa.

— Rien ne m'empêchera d'aller au grenier, fanfaronne Paulo. Pas même tante Marie-Ange.

8

La chasse au fantôme

— Pourquoi ce soir? demande Mélodie.

Les quatre amis sont devant la maison de tante Marie-Ange. Le vent dans les feuilles produit un étrange bruissement.

— Il faut attendre qu'elle soit endormie, non? demande Paulo en ouvrant la porte de la clôture. Bon, on est rendu, alors aussi bien en finir!

— Je n'arrive pas à croire que nous allons vraiment à la chasse aux fantômes, dit Laurent en frissonnant.

— Il n'y a pas de fantôme, réplique Paulo.

— Fantôme ou non, je ne vois rien, chuchote Mélodie. Comment on fait pour trouver un fantôme?

— On peut l'appeler, suggère Lisa.

— Ce n'est pas un chien, lance Paulo.

— Alors comment vas-tu l'attraper? demande Lisa.

Paulo hausse les épaules. Puis ils se mettent tous à chuchoter dans le noir :

— Oncle Jules! Oncle Jules!

— Chut! souffle Mélodie. Je crois entendre quelque chose.

Tous tendent l'oreille.

Hou... Hou...

— Mon Dieu! crie Lisa. C'est le fantôme de l'oncle Jules.

— Ça vient de l'intérieur de la maison, chuchote Mélodie.

Le son se fait entendre de nouveau.

Hou... Hou...

— Il faut entrer pour trouver ce qui fait ce bruit, dit bravement Paulo.

— Pas moi! s'écrient en chœur Lisa et Mélodie.

— Et tante Marie-Ange? leur rappelle Laurent. Nous ne pouvons pas la laisser toute seule avec un fantôme!

— Tu as raison, approuve Lisa. Pauvre tante Marie-Ange! Elle doit être morte de peur.

— Ma grand-tante Marie-Ange n'a peur de rien, fanfaronne Paulo qui est interrompu par le même son étrange.

Hou... Hou...

— Alors allons-y! lance Paulo en ouvrant la porte d'entrée.

Ses trois amis le suivent de près.

— Ta tante devrait verrouiller sa porte, dit Mélodie. N'importe qui pourrait entrer.

— N'importe qui vient justement d'entrer, réplique Paulo d'un ton cynique.

— Écoutez, murmure Lisa. J'entends un sifflement.

— C'est seulement le vent qui souffle à travers les fissures de la maison, dit Paulo.

— Je n'ai jamais entendu le vent siffler «Il pleut, bergère», marmonne Laurent.

C'est vrai. Quelqu'un sifflote cet air.

— Ce doit être tante Marie-Ange, dit Paulo.

Mais quand ils arrivent à la maison, tout est silencieux.

— Tante Marie-Ange? chuchote Paulo, de l'autre côté de la porte de sa chambre. C'est moi, Paulo. Tout va bien?

Pas de réponse.

— Elle doit dormir, dit Laurent.

— Peut-être que le fantôme l'a attrapée, suggère Lisa.

— Tu devrais entrer et vérifier, propose doucement Mélodie.

— Je n'entrerai pas dans sa chambre! dit Paulo. Elle est peut-être en sous-vêtements!

— C'est ta tante! s'écrie Lisa d'une voix sourde. Tu dois aller vérifier.

— Vous êtes des poules mouillées, les accuse Paulo.

— Pas moi! lance Mélodie.

Paulo prend Mélodie par le bras.

— Alors prouve-le! Viens avec moi!

Lentement, il tourne la poignée et la porte s'ouvre en grinçant.

9

Il pleut, bergère

Tante Marie-Ange est affalée sur le lit en désordre, le visage pâle comme la mort.

— Est-elle m-m-morte? chuchote Mélodie.

Avant que Paulo ne puisse répondre, tante Marie-Ange a lentement ouvert ses petits yeux injectés de sang.

— Eh bien non, je ne suis pas encore morte, siffle-t-elle.

— Elle est trop chipie pour mourir, chuchote Paulo.

Lisa pose sa main sur son bras et dit doucement :

— Elle m'a l'air très malade.

Tante Marie-Ange a une quinte de toux et met sa main sur sa poitrine.

— Jules! fait la vieille dame en toussant. Viens ici, j'ai besoin de toi!

— Ça y est! dit Paulo. Elle est devenue folle!

— Jules! appela de nouveau tante Marie-Ange.

Paulo toucha la main de sa tante.

— Oncle Jules est mort, tante! Il n'est plus là.

— Non, il... commence tante Marie-Ange.

Elle se met à tousser et pointe un doigt en direction de la porte.

— Je l'entends!

— Tout ce que j'entends, c'est quelqu'un qui siffle «Il pleut, bergère», dit Laurent d'une voix douce.

— C'est lui! approuve tante Marie-Ange. C'est mon pauvre Jules!

— Je pense qu'elle a mangé trop de sandwichs aux oignons, marmonne Paulo.

— Moi, je pense que tu devrais appeler son médecin, dit Mélodie.

— NON! crie tante Marie-Ange. Je n'ai pas d'argent pour payer les médicaments.

— Il faut voir un médecin, lui dit Paulo. Tu es malade. Et grand-maman dit toujours que tu as plein d'argent.

Tante Marie-Ange secoue la tête.

— C'est pour cela qu'il faut que tu attrapes Jules. C'est lui qui a toute notre fortune. Si tu ne vas pas à sa recherche, moi j'irai!

Tante Marie-Ange repousse les couvertures et en sort ses jambes maigres.

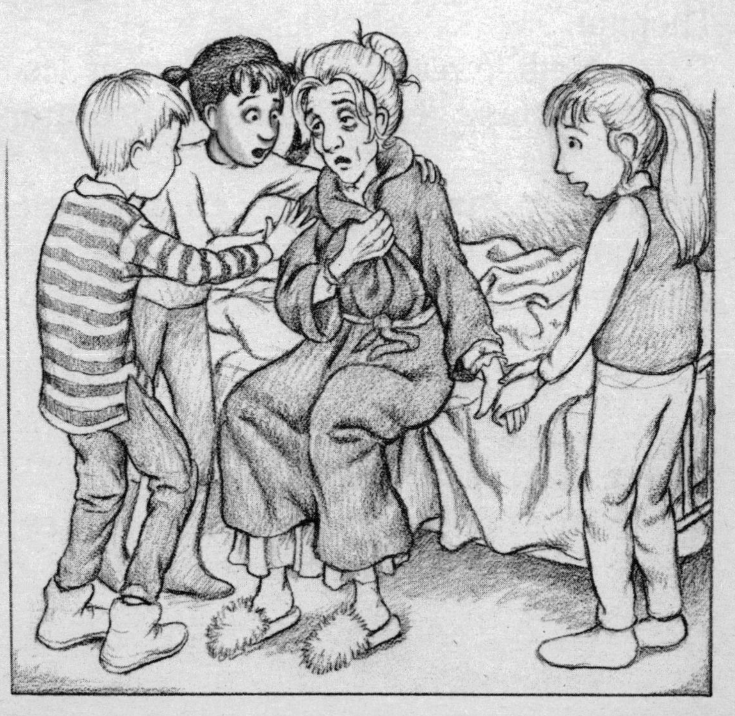

— Elle délire! déclare Paulo à ses amis. J'appelle une ambulance. Gardez-la au lit.

Les trois copains peuvent entendre Paulo descendre l'escalier quatre à quatre pour aller téléphoner dans la cuisine. Mélodie prend tante Marie-Ange par la taille et l'oblige à se remettre au lit.

— Vite! crie Mélodie en rabattant les couvertures sur elle. Ta tante est brûlante de fièvre. Il faut l'emmener à l'hôpital.

— Mais je n'ai pas d'argent pour les médicaments, gémit de nouveau tante Marie-Ange.

Il faut que tous les enfants se mettent ensemble pour retenir la vieille dame au lit jusqu'à l'arrivée de l'ambulance.

— Laissez-moi! crie-t-elle aux ambulanciers qui l'installent sur une civière. Je ne veux pas aller à l'hôpital!

Et quand l'un des ambulanciers essaie de la réconforter, elle le mord.

— Je vous ai dit que je n'ai pas un sou pour les médicaments, ni rien d'autre!

L'ambulancier regarde Paulo et dit :

— Ce sera compliqué si elle n'a pas d'argent. Elle ne peut pas rester seule : ou elle devra aller en maison de convalescence, ou elle devra avoir une infirmière à la maison.

Paulo le regarde droit dans les yeux et répond :

— Pas de problème. Elle trouvera les sous.

Des éclairs éclairent le ciel et le tonnerre gronde au loin, pendant que l'ambulance part à toute vitesse.

— Mais tante Marie-Ange n'a pas d'argent, dit doucement Lisa.

— Peut-être que la grand-mère de Paulo l'aidera, ajoute Laurent. Maintenant, on devrait plutôt s'assurer que toutes les fenêtres sont bien fermées et rentrer à la maison. Il va pleuvoir des cordes dans quelques instants.

Mélodie frissonne et regarde le ciel. Puis elle jette un coup d'œil à la vieille maison.

— Regardez! crie-t-elle. Regardez la fenêtre du grenier!

Ses trois amis lèvent les yeux juste à temps pour voir l'ombre d'un vieil homme portant un chapeau.

— Oh mon Dieu! s'écrie Lisa. C'est le fantôme!

10

Le coffre mystérieux

— Ce n'est pas un fantôme, dit Paulo, et je vais vous le prouver.

Il ne donne à ses amis aucune chance de répliquer. De grosses gouttes de pluie s'écrasent sur le sol au moment où ils se précipitent dans la maison à la suite de Paulo. La pluie redouble de violence, et un éclair tombe non loin de la maison. Une rafale fait gonfler les rideaux, et la porte d'entrée se referme d'un coup. Mélodie sursaute et Lisa hurle. Puis, c'est le noir complet.

Laurent essaie de rallumer.

— Panne d'électricité.

— Mais non, dit doucement Paulo. Il y a de la lumière qui vient d'en haut.

C'est vrai. Une faible lumière envoie une lueur fantomatique sur les marches.

— Sortons d'ici, gémit Lisa.

Mélodie court à la porte et essaie de tourner la poignée.

— La porte est coincée! Nous sommes pris au piège!

— Il n'y a qu'une façon de s'en sortir, dit Paulo à ses amis.

Lentement, il gravit les marches, ses trois copains derrière lui. La lumière les mène à la porte du grenier, qui est ouverte. Les enfants écartent de la main des toiles d'araignée, tout en montant l'escalier du grenier.

Mélodie prend Laurent par le bras.

— Entends-tu?

Les quatre amis s'arrêtent pour écouter.

CRAC... CRAC... CRAC...

— C'est seulement le vent! lui dit Paulo.

Ils continuent à monter, puis quand ils arrivent en haut, Paulo leur montre le plafond.

Une ampoule solitaire se balance lentement au beau milieu du plafond du grenier, envoyant des ombres fantomatiques tout autour.

— Pourquoi l'ampoule du grenier fonctionne, et aucune autre ampoule de la maison? chuchote Mélodie.

— C'est le fantôme! gémit Lisa.

Au même moment, le tonnerre gronde tout près. Les quatre enfants ont la gorge serrée. Ils regardent l'ampoule qui se balance et, dessous, ils aperçoivent un vieux coffre.

— Hé! ça ressemble au coffre qu'on a trouvé au sous-sol chez notre professeur, leur rappelle Paulo.

— Mais oui! approuve Mélodie. On pensait que c'était un cercueil de vampire.

Paulo regarde le coffre.

— Celui-là aussi pourrait contenir un vampire! Pensez-vous que tante Marie-Ange héberge des vampires dans son grenier?

— Chut, écoute! souffle Mélodie. Je crois que j'entends vraiment quelque chose qui vient de l'intérieur.

Lisa gémit et ferme les yeux.

— C'est un vampire qui vient nous chercher!

— On dirait plutôt un sifflement, murmure Laurent.

—Ce n'est que le vent dans ce vieux grenier, dit Paulo. Allez, on va aller voir ce qu'il y a dans ce coffre.

— Vas-y donc! lance Mélodie.

Paulo secoue la tête.

— Non. Toi.

— Je ne vais sûrement pas l'ouvrir, répond Mélodie.

— On va compter jusqu'à trois, et on va regarder ensemble, dit Laurent. Un... deux... TROIS!

— Oh là là! il n'y a que des vieux vêtements, soupira Mélodie quand ils ouvrent le coffre.

— Bien sûr, fait remarquer Paulo. Tu vois? C'est le vieux chapeau d'oncle Jules.

— C'est le chapeau que j'ai aperçu à la fenêtre, dit doucement Laurent.

— Ça ne va pas, la tête? réplique Paulo en essayant de mettre le chapeau. Voyons, il est bien trop petit!

— Ça doit être parce que tu as la tête enflée! dit Mélodie en riant.

— Non, je vous jure, leur dit Paulo. Regardez : il y a quelque chose de coincé dans la doublure.

Paulo retire la doublure du chapeau sans difficulté, tellement elle est usée.

Et tous les enfants sont saisis quand ils aperçoivent ce qu'il y a à l'intérieur.

11

Bravo, oncle Jules!

— Oh là là! crie Mélodie.

— Il doit y avoir au moins 1 million de dollars, là-dedans! siffle Paulo en attrapant au vol le paquet de billets. Nous sommes riches!

— Ce n'est pas NOTRE argent! lui dit Mélodie. C'est l'argent de tante Marie-Ange.

— Elle ne sait même pas qu'on l'a trouvé, jette Paulo. Oncle Jules devait l'avoir caché.

— Mais c'est quand même son argent, réplique fermement Laurent. Et elle aura besoin de cet argent!

— Si vous croyez que je vais donner tous ces sous à tante Marie-Ange, vous vous trompez! s'exclame Paulo.

Mélodie pointe l'index en direction de Paulo.

— Tu es aussi avare que ton oncle Jules!

— Et comment peux-tu seulement avoir l'idée de lui voler de l'argent? Elle devra peut-être rester en convalescence pendant des semaines! dit Lisa.

— Ouais... J'imagine que vous avez raison, soupire Paulo. Elle nous donnera peut-être une récompense.

— Paulo, vraiment, tu es un cas désespéré, lui dit Mélodie en commençant à empiler les billets de banque dans une boîte.

— Heureusement que l'ampoule du grenier fonctionnait! souligne Laurent. Autrement, on n'aurait jamais trouvé le chapeau.

— On aurait dit que quelqu'un voulait vraiment qu'on le trouve, dit gravement Mélodie.

— C'est le fantôme d'oncle Jules, approuve Lisa. Il nous a aidés à retrouver l'argent qu'il avait caché à tante Marie-Ange, pour qu'il puisse enfin reposer en paix.

Paulo ricane :

— C'est ça, et on va lui envoyer une carte de remerciements, en plus?

— Lisa a raison, dit lentement Laurent. On devrait peut-être le remercier?

Mais Lisa secoue la tête.

— Je ne crois pas qu'on trouvera le fantôme de l'oncle Jules.

— Pourquoi?

— Parce que ses mauvaises actions ont été pardonnées. Il peut reposer en paix, maintenant.

12

Une coïncidence?

Deux mois plus tard, les quatre amis se retrouvent devant la maison de tante Marie-Ange.

— Merveilleux! s'exclame Mélodie.

— Formidable! ajoute Lisa.

La vieille demeure n'est plus la même. Le toit a été réparé et les carreaux brillent. La maison a été repeinte en vert et les volets, d'un blanc étincelant.

La porte, d'un rouge accueillant, s'ouvre toute grande et tante Marie-Ange envoie joyeusement la main aux quatre amis. Elle a bien meilleure mine, depuis son séjour de deux mois dans une maison de convalescence. Elle porte des jeans et un t-shirt, et ses cheveux gris sont ramenés sous une casquette de baseball de l'école de Ville-Cartier.

— Ne restez pas là, ordonne-t-elle. Venez faire une partie de poker!

Tout le monde éclate de rire. Paulo ouvre la porte de la clôture et ils se dirigent vers la maison.

— Si on n'avait pas trouvé le chapeau de l'oncle Jules, cette maison se serait effondrée à la première pluie venue! lance Mélodie en riant.

— Oui, on a eu de la chance de le trouver, dit Laurent.

— Mais ce n'était pas de la chance, précise Lisa, d'une voix douce. C'est l'oncle Jules qui nous a aidés.

— Mais non, c'était une coïncidence, dit Paulo.

— Tu as peut-être raison, admet Mélodie. C'était complètement fou de penser que c'était un fantôme.

Laurent éclate de rire.

— Après tout, les fantômes ne mangent pas de chips!